¡No quiero resfriarme!

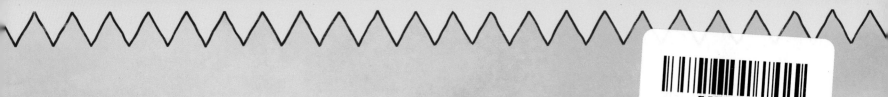

Título original: *I don't Want a Cold*
Episodio escrito por Cas Willing
Es una licencia de The Illuminated Film Company
Basado en la serie de animación LITTLE PRINCESS © The Illuminated Film Company, 2007

Traducción: Aurèlia Manils

© The Illuminated Film Company / Tony Ross, 2007
Publicado en 2009 por Beascoa, Random House Mondadori, S.A.
Travessera de Gràcia, 47-49. 08021 Barcelona

Primera edición: mayo 2009
Diseño y composición © Andersen Press Ltd., 2007

Impreso en España por Gramagraf sccl.
Depósito legal: B-18211-2009

ISBN: 978-84-488-2934-6

¡No quiero resfriarme!

Tony Ross

BEASCOA

El sol resplandecía y el gallo cantaba anunciando la mañana, pero en el castillo todo el mundo dormía. Todo el mundo, menos la Pequeña Princesa.

–Voy a necesitar mi pamela –se decía alegremente–, y mis gafas de sol.

Era el día del picnic de la corte, y la Pequeña Princesa estaba nerviosísima. Empezó a inflar su salvavidas, pero entonces...

–¡Aaaa-tchíssssss!

La Pequeña Princesa estornudó tan fuerte que el salvavidas salió volando por la habitación.

–¡Levantaos! Es el día del picnic –gritó la Pequeña
Princesa, apareciendo de golpe en la habitación de sus padres.
El Rey y la Reina dejaron de roncar y se frotaron los ojos.
–¡Aaaa-tchíssssss! –estornudó la Pequeña Princesa.

Su nariz siguió goteando durante el desayuno.

–¿Podemos irnos ya? –preguntó la Pequeña Princesa.

–Para el carro, cariño –bostezó la Reina–, todavía no he terminado mi... ¡glups!

El Rey señaló los moquitos de su hija.

–Suénate esa nariz, tesoro.

La Doncella y el Chef estaban disfrutando de una deliciosa taza de té en la cocina del castillo.

–¡HORA DEL PICNIC!

–aulló la Pequeña Princesa.

La Doncella escupió el último trago en su taza y se levantó para ir preparando las bolsas.

–¡Es mi día preferido! –aseguró la Pequeña Princesa, sonriendo de emoción, al salir. Todos los miembros de la casa real marcharon en fila tras ella, cargando con cestos, manteles y comida para el picnic.

La Pequeña Princesa había elegido un rincón para el picnic junto
al estanque del reino.

–¿Puedo bañarme ya?

Al ver que la Doncella asentía, chilló de alegría y corrió hacia el agua.

–¡Ejem, ejem!

El Rey y la Reina soltaron sus bollitos glaseados y se miraron.
Primero los estornudos, luego los moquitos, ahora tos...

–¡Esto es la fiebre del heno! –aseguró el Almirante.

La Doncella arrancó a la Pequeña Princesa del agua.
El material del picnic fue empaquetado de nuevo en un
santiamén y se reemprendió la marcha de vuelta al castillo.
La Pequeña Princesa estaba furiosa.
–¡Pues yo quiero chapotear!

—Las princesas enfermas no deben chapotear.

—¡No estoy enferma! —se defendía la Pequeña Princesa.

—¡Aaaa-tchísssss!

La Doncella frunció el ceño.

—Tápate la boca cuando estornudes, o vas a esparcir esos desagradables microbios.

La Doctora auscultó el pecho de la Pequeña Princesa.

–La Princesa se ha resfriado –anunció.

–¿Por qué se le llama resfriado si siento tanto calor? –quiso saber la Pequeña Princesa.

–Debe meterse en la cama –continuó la Doctora–, y no levantarse para nada.

Todavía no era ni la hora de comer y la Pequeña Princesa
ya estaba bien acurrucada dentro de su cama.

–Nada de levantarse, por ahora –le recordó el Rey.

El día de picnic de la Pequeña Princesa estaba yendo
de mal en peor.

A la mañana siguiente, la Pequeña Princesa no se había librado todavía de su resfriado. Se pasó horas tosiendo, moqueando y estornudando. Por la tarde, la Pequeña Princesa ya había sacado todo lo que tenía que sacar.
–Creo que ahora ya me entraría algo de comida –decidió–. ¡Tengo HAMBRE!

–¡La Princesa tiene hambre! –gritó la Doncella, corriendo hacia la cocina.

El Chef se besó las puntas de los dedos, encantado.

–¡Tengo algo ideal para ella!

La Pequeña Princesa estaba horrorizada.

–Pero, ¿qué es esto?

–Caldito –afirmó la Doncella.

–Yo no quiero caldito, quiero un picnic –gritó la Pequeña Princesa. Pero como estaba tan hambrienta, se lo tomó de todas formas. La Pequeña Princesa sentía muchísima lástima de sí misma.

Fuera, en el jardín, todo el mundo se estaba divirtiendo
de lo lindo, mientras ella tenía que guardar cama.
–Estar enfermo es muy aburrido –protestaba.

–¡Ya lo tengo! –exclamó la Pequeña Princesa–. Voy a organizar
un picnic sobre mi cama.

Alisó bien las sábanas y buscó sus juguetes debajo del colchón.

En un periquete, estuvieron todos vestidos y bien colocados
alrededor de un pañuelo a topos que sería el mantel del picnic.

–Ésta será mamá... –anunció–, y éste será papá.

La Pequeña Princesa rió alegremente
y plegó su pamela para ponerla sobre
las orejas de Scruff.

–Yo seré yo, y él será el Almirante.

Ahora sólo le faltaba el juego de té, pero
estaba demasiado lejos para alcanzarlo.

La Pequeña Princesa se inclinó sobre su cama y rebuscó debajo hasta encontrar su paraguas. Era justo lo que necesitaba para acercar el cochecito de su muñeca. Rápidamente se subió dentro y fue circulando por la habitación.

–**¡Princesa!** –la llamó una voz, con firmeza, a sus espaldas. La Pequeña Princesa se giró y vio a la Doctora plantada en medio de la entrada, acompañada por todos los miembros de la casa real.

–Os aseguro que no he puesto los pies en el suelo –afirmó la Pequeña Princesa.

–Ya no estoy resfriada –anunció la Pequeña
Princesa–. Se lo he pasado a Puss.
–Los gatos no pueden pillar resfriados
de los humanos –explicó la Doctora.
–Bueno, pues yo ya no tengo el mío.
La Doctora estuvo auscultando con su
estetoscopio durante una eternidad.
Todo el mundo se aguantaba la respiración.

-Tienes razón -anunció al fin-. El resfriado ha desaparecido.

La Pequeña Princesa aplaudió.

-¡Bravo! ¡Podemos ir de picnic!

-chilló.

Y todos marcharon de nuevo en comitiva, cargados
con el material para el picnic.

La Pequeña Princesa, que estaba excitadísima, se puso
los manguitos salvavidas y fue directa hacia el estanque.

–¡Aaaa-tchísssssss! –estornudó la Doncella.

La Pequeña Princesa se paró en seco.

–¡Aaaa-tchíssssss! –estornudaron el Rey

y la Reina.

–¡Aaaa-tchíssssss! –estornudó el General.

Y el Chef. Y el Primer Ministro. No se salvó ni el Almirante.

La Pequeña Princesa suspiró.

–¡Estáis todos enfermos!

Nadie dijo una palabra.

–¡Todo el mundo a la cama! –les ordenó,
gesticulando para que abandonaran el picnic.
El Rey frunció el ceño.
–No es justo.

La Pequeña Princesa abrió la marcha de regreso al castillo, seguida
por una fila de adultos que no paraban de toser y estornudar.
–¡Vamos, mamá! ¡Vamos, papá, nada de picnic para vosotros!

El picnic terminó antes de haber empezado,
pero la Pequeña Princesa no estaba decepcionada.
Ahora tenía que encargarse de todos.
–Esto es mucho más divertido –sonrió, entregando
una bolsa de agua caliente al General.

El Chef se envolvió con su manta e intentó escabullirse
sigilosamente del salón.
—¡Eh! —le gritó la Pequeña Princesa—. Nada de levantarse...

....¡te está esperando tu caldito!